TOME 1
DE QUELLE PLANÈTE TU VIENS ?

Scénario & dessin : Olivier DUTTO
Couleurs : Benoît BEKAERT

https://www.facebook.com/LesPtitsDiables.laBD

Une série dirigée par Jean Wacquet

Soleil
15, boulevard de Strasbourg
83000 Toulon - France

Soleil Paris
8, rue Léon Jouhaux
75010 Paris - France

Conception et réalisation graphique : Studio Soleil

Dépôt légal : Avril 2004 - ISBN : 978-2-845-65804-2

Impression : PPO Graphic - Palaiseau - France

ATTENTION, LE "SLURG" ENVAHIT LA PLANÈTE. IL A DÉJÀ FAIT UN MASSACRE !!!
IL FAUT L'ARRÊTER... VITE, EN POSITION DE COMBAT...
FEU
PIOU PIOU
PIOU PIOU
PIRATE

BLAM
FILLES
SALUT, FRÉROT !. TOUJOURS À TES JEUX DE MORVEUX !

C'SONT PAS DES JEUX DE MORVEUX, JE SAUVE LE MONDE, MOI...
PIS D'ABORD, C'EST INTERDIT AUX FILLES, ICI... SI TU VEUX ENTRER, IL FAUT TAPER !!!

ALORS DÉGAGE !..

AH ! AH ! TREMBLEZ, ENVAHISSEURS, UNE FOIS DE PLUS, "KAPITAINE KOURAGE" A VAINCU !..

FILLES

TAP

FILLES
JE PEUX ENTRER, MAINTENANT ?

TU VAS VOIR CE QUE JE VAIS T'ENTRER DANS LA TÊTE, MOI !..
ÇA, C'EST TOUT TOI, MICROBE. TU SAIS JAMAIS CE QUE TU VEUX !..
...D'AILLEURS, TU SAIS PAS GRAND-CHOSE !
MAMAN PAPA
Ma Chambre
1

C'EST OCCUPÉ !...
CLAC CLAC CLAC
Toilettes

T'EN AS POUR LONGTEMPS ?... J'AI ENVIE, MOI !...
OUAIP, C'EST LA GROSSE COMMISSION !... VA FAIRE PIPI DEHORS...

Toilettes

DIS-MOI, FRÉROT, TU TE SOUVIENS DE L'ÉMISSION SUR LES ÉGOUTS ?...
OUI, ET ALORS ?
Toilettes

BEN, SI J'ME RAPPELLE BIEN, IL Y AVAIT PLEIN DE TRUCS BIZARRES ET SURTOUT, BEAUCOUP DE GROS SERPENTS ABANDONNÉS !...

...ET ALORS ?
Toilettes

...ALORS, J'AI ENTENDU DIRE QUE LES SERPENTS ADORENT SE FAUFILER DANS LES TUYAUX ET LES REMONTER !
Toilettes

MENTEUSE !
SI TU VEUX !
Toilettes

Toilettes

T'AS VRAIMENT DE LA CHANCE, À FORCE DE PARLER, J'AI PLUS ENVIE...
OOOOOOOH, QUELLE VEINARDE JE FAIS, ALORS !...
Toilettes
CÉZAN
ZIP

...ET SI IL Y A UN SERPENT, TU ATTAQUES !...
...MA VIE EST ENTRE TES PATTES, GASPARD !
WAF !
2
DUTTO.01

... À 3 PAS DU GRAND CHÊNE DIRECTION SUD, SUD-EST, CAPITAINE !..
1, 2, 3 C'EST LÀ, CREUSE, MOUSSAILLON !

APRÈS TANT D'ANNÉES DE RECHERCHES, JE TOUCHE AU BUT... LE TRÉSOR DE KARPAT LE BORGNE VA ENFIN ÊTRE MIEN...
ALLEZ. PLUS VITE !
FRISH

TOP
TOP ?

UN... UN TRÉSOR... UN VRAI TRÉSOR ...

JE SAVAIS QUE J'EN TROUVERAIS UN... JE LE SAVAIS !
... JE SUIS UN VÉRITABLE PIRATE !

DES MILLIERS D'ANNÉES D'HISTOIRE VONT S'OUVRIR SOUS MES YEUX !
ALLEZ, DÉLIVRE-MOI TON SECRET !
CRILIK

BWAAAAA
BOÏNG

TILT
BOÏNG
BOÏNG

IL A DÛ FRÔLER LA CRISE CARDIAQUE, LE "PIRATE" ! HI ! HI ! HI !..
... SI SON COEUR A LÂCHÉ, JE VEUX BIEN RÉCUPÉRER SON BANDANA...
... PAR CONTRE, SA PELLE, IL PEUT SE LA GARDER !
RUGEN
3

SALUT, M'AN ! CHUIS RENTRÉ DE L'ÉCOLE !..
BONJOUR MON CHÉRI !.. ...ÇA VA ?..
BLAM
VOOOOOOOO

TU SAIS, IL Y A T...
PLUS TARD M'AN, PLUS TARD...
VVOOOOOOOO

...J'AI DES COMPTES À RÉGLER... LE GUERRIER BLANC VA LUTTER CONTRE LE DIABLE EN PERSONNE !..
...DE L'EAU GLACÉE VA LUI FAIRE DU BIEN !

PSSSSST !!!
CHUT MAMAN, TU VAS ME FAIRE REPÉRER !..
...JE SENS QU'ELLE ARRIVE !
TAP TAP

CE N'EST PAS MAMAN !..

TAP TAP TAP

LE GUERRIER VAINQUEUR GAGNE LES ARMES DE SON ADVERSAIRE !
JE VOULAIS SIMPLEMENT TE DIRE QUE LE DIABLE ÉTAIT RENTRÉ AVANT TOI DE L'ÉCOLE... MON ANGE !
...ELLE EST PAS HUMAINE !..
4
DUTTO 01

ZBLAF

ZBLAP

TATSAN!..

BONJOUR MICROBE!..
POF

AU REVOIR, MICROBE!
PAF
ROULROULROULROUL

..TU VEUX CHANGER TES ROLLERS... T'ES SÛR?..
..FAUF FI VE PEUX FANVER DE FOEUR?!
6
DUTTO 01

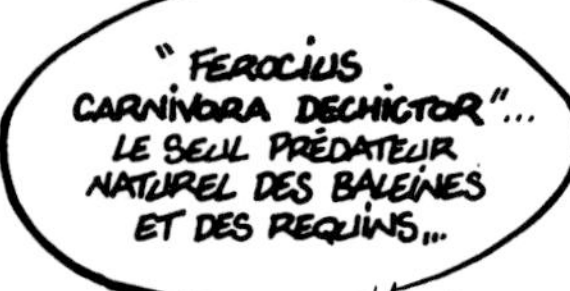
" FEROCIUS CARNIVORA DECHICTOR"... LE SEUL PRÉDATEUR NATUREL DES BALEINES ET DES REQUINS...

...HÉ, HÉ, ON VA BIEN S'ENTENDRE, TOUS LES DEUX!

ASSASSIN!...
TU VOIS PAS QU'IL S'ÉTOUFFE, IL FAUT LE FAIRE RESPIRER!..

VIIIIITE!
VROOOOOOO

CAFÉ
THÉ
PLOC
PLOC
PLOC
PLOC

CAFÉ
THÉ
TE VOILÀ SAUVÉ...
...TU PEUX RESPI...

CAFÉ
THÉ
...RER.
FUIIIITT

ET TOM, IL NE VIENT PAS MANGER AVEC NOUS?!
BEN, JE NE COMPRENDS PAS...
...JE LUI AI DIT QU'ON MANGEAIT SON PLAT PRÉFÉRÉ, DU POISSON CUIT À L'ÉTOUFFÉ, ET IL S'EST ENFERMÉ DANS SA CHAMBRE!..
...IL MANQUE PAS D'AIR, LE MICROBE!..
...J'PEUX AVOIR SA PART, MOI AUSSI, J'ADORE ÇA!
GRIPPY
7
DUTTO 02

NINA EST UNE ALIEN
J'EN SUIS SÛR! ELLE EST EN MISSION POUR ENVAHIR LA TERRE!..
...SA CRUAUTÉ L'A TRAHIE!
KAPITAINE KOURAGE

L'AGENT TOM DU F.B.I. VA DÉVOILER TA VÉRITABLE IDENTITÉ!.. AUJOURD'HUI AURA ÉTÉ TON DERNIER JOUR D'ANONYMAT SUR NOTRE PLANÈTE,
NINA L'ALIEN!..

...PRÉPARE TES VALISES, NINA...
...TU RENTRES CHEZ TOI EH! EH! EH!
PAPA MAMAN
TK
TK
TK

FAUT RESTER PRUDENT... JE NE SAIS PAS DE QUOI ELLE EST CAPABLE!

MMH... ÇA COMMENCE FORT... UN JOURNAL INTIME POUR LE COMMUN DES MORTELS, MAIS UN CARNET DE BORD POUR UN AGENT DU F.B.I EXERCÉ... C'EST LÀ QU'ELLE DOIT NOTER SES RAPPORTS POUR SES SUPÉRIEURS!
Mon Livre

...VOILÀ COMMENT ELLE CACHE SA VRAIE COULEUR DE PEAU!..
...ET SES PUSTULES!!!
SUPER ÉQUIPÉE, C'EST UNE PRO!..
CRÈME VISAGE

LUI, C'EST CERTAINEMENT SON CHEF, SON GOUROU... EFFRAYANT!..
Lover Moove

SNIF SNIF
ÇA Y EST, TU ES FAITE, NINA... JE TE TIENS!
UNE CHAUSSETTE SALE QUI PUE PAS... C'EST PAS HUMAIN ÇA!..
SNIF SNIF
...PAS HUMAIN DU TOUT EH! EH! EH!

...GNÉGNEGNÉ?

GNÉKISEPASSICI?!

NON, POUR LA CENTIÈME FOIS, TOM, TA SOEUR N'EST PAS UNE ALIEN!.. ET SI TU NE VAS PAS TE COUCHER IMMÉDIATEMENT, C'EST TOI QUI VAS TE RETROUVER SUR UNE AUTRE PLANÈTE!..
MAIS, JE VOUS JURE!..
JE L'AI VUE!..
...SORS!..
JUMP JUMP

SAUT SAUT
CANNIBALE JO... ON DIT QU'IL ENFERME SES VICTIMES DANS SA CAVE, IL LES GAVE ET LORSQU'ELLES SONT BIEN GRASSES, IL LES BOUFFE... MEMBRE APRÈS MEMBRE!
...IL MESURE AU MOINS 5 MÈTRES!

NOTRE MISSION EST DE DÉLIVRER LES PRISONNIERS, POUR QU'ILS TÉMOIGNENT CONTRE CANNIBALE JO!
TCHAK
...IL FAUT QUE LE MASSACRE CESSE!
HOU PURÉE, IL MANIE BIEN LA HACHE!..

ATTENTION, J'TIENS PAS À FINIR AU FOND DE SON ESTOMAC... ALORS, VA FALLOIR ÊTRE DISCRET!..
T'INQUIÈTE, J'SUIS UN PROFESSIONNEL!
PROPRIÉTÉ PRIVÉE

BON, VAS-Y, MICROBE, PASSE DEVANT, JE TE COUVRE!
PROPRIÉTÉ PRIVÉE

NON, J'AI UNE MEILLEURE IDÉE, TU PASSES LA PREMIÈRE ET JE TE COUVRE!
PROPRIÉTÉ PRIVÉE
AH NON!
AH SI!..

JE T'ORDONNE DE PASSER DEVANT!
...NON, J'IRAI PAS ME FAIRE BOUFFER AVANT TOI... ET J'AI PAS D'ORDRE À RECEVOIR D'UNE ALIEN!
TU SAIS CE QU'ELLE TE DIT, L'ALIEN?!
...ET MOI, TU SAIS CE QUE JE LUI FAIS?!

QU'EST-CE QUI SE PASSE, ICI?!

OOOOV VOOOOO

...TU... TU CROIS QU'IL NOUS A SUIVIS, NINA?
EUH... TU FERAIS MIEUX D'Y ALLER TOI...
...JE SAIS PAS... TU DEVRAIS ALLER VOIR!..
...ET SI ON RESTAIT CACHÉS LÀ ENCORE QUELQUES HEURES... AU CAS OÙ...
D'ACCORD!
8
DUTO 02

LITCH
PPPRRRRRR
KAPITAINE KOURAGE

LITCH
AÏE... C'EST BIEN CE QUE JE CRAIGNAIS !
SNIRF !

DOMMAGE, MICROBE... J'T'AIMAIS BIEN, MALGRÉ TOUT !...
KAPITAINE KOURAGE

HÉ NINA, C'EST QUOI QUE TU CRAIGNAIS ?...

LE TROU DANS LA COUCHE D'OZONE LAISSE PASSER LES ULTRA-VIOLETS. CES RAYONS TAPENT SUR LE CRÂNE HUMAIN, CE QUI A POUR EFFET DE FAIRE FONDRE LE CERVEAU QUI S'ÉCOULE ENSUITE DANS LA TÊTE, POUR ENFIN SORTIR PAR LES TROUS DE NEZ... LES HUMAINS SE RETROUVENT ALORS LE CRÂNE VIDE ET COMPLÈTEMENT ABRUTIS !...
ULTRA VIOLET
CERVEAU
...PEUT-ÊTRE S'AGIT-IL D'UNE TACTIQUE EXTRATERRESTRE POUR ENVAHIR LA PLANÈTE !

DEPUIS UN MOMENT, J'AI REMARQUÉ QUE TU DEVENAIS DE PLUS EN PLUS ABRUTI !...
... MAIS LÀ, TU ES EN PHASE TERMINALE !

TOM, C'EST L'HEURE DE FAIRE TES DEV...
FILLES

MAIS... MAIS TU ES DEVENU FOU... TOUT TON SANG VA À LA TÊTE !...
M'EN MOQUE. J'VEUX PAS QUE LES EXTRATERRESTRES ENVAHISSENT NOTRE PLANÈTE...
...MON CERVEAU NE COULERA PLUS !
PLUTON
KAPI... KOURAGE
19:12

RELÈVE-TOI, TU VAS T'ÉVANOUIR !!!
NOOOON TRAÎTRESSE !

ATCHOOM

ÇA Y EST... J'AI TOUT PERDU MON CERVEAU !...
...ET JE SUIS AUX MAINS DES ENVAHISSEURS !!!
GRRR...
DE QUELLE PLANÈTE VENEZ-VOUS ?
OÙ SUIS-JE ?
QUI SUIS-JE, D'AILLEURS ?
VOT' PEAU EST ÉTRANGE. C'EST EN QUELLE MATIÈRE ?

MICROBE, J'AI TROUVÉ LE MOYEN DE LUTTER...
...UNE FOIS ÉCOULÉ, IL SUFFIT DE RÉAVALER SON CERVEAU ET IL REPRENDRA SA PLACE !
T'AURAIS PU ME LE DIRE AVANT !
MAMAN M'EN A VOLÉ UN GROS MORCEAU, ALORS !
ET C'EST COMME ÇA QU'ELLE ME REMERCIE !!
L'INGRATE !...
9

Dutto 02

... APRÈS AVOIR TERRASSÉ LE TYRANNOSAURE, **KAPITAINE KOURAGE** VA ATOMISER LE BRUTOSAURE...
...KAPITAINE KOURAGE TU ES VRAIMENT TROP FORT !
PFFFFF TROP RIDICULE !

MON OUÏE HYPER DÉVELOPPÉE A ENTENDU UNE OBJECTION !..
...PAS DU TOUT, JE PENSAIS QUE VU LA FORCE DE **KAPITAINE KOURAGE**, IL LUI FAUDRAIT UN ADVERSAIRE À SA HAUTEUR ET, ENFIN, SAUVER VRAIMENT LE MONDE !..
TU PENSES À QUI ?

LOVER MOOVE
L'HORRIFIANT SERPENT GÉANT DES TOILETTES !..
EXCELLENT !
VOILÀ UNE MISSION À LA MESURE DU KAPITAINE !

VITE KAPITAINE, L'AVENIR DU MONDE EST ENTRE TES MAINS !..
VITESSE SUPERSONIQUE ACTIVÉE !
BIANCHA

VOILÀ L'ENTRÉE DU REPAIRE DU SERPENT !
VA, KAPITAINE, ACCOMPLIR TA MISSION !..
TRIPLE SALTO ARRIÈRE VRILLÉ
PLOF

PRÊT POUR LARGAGE... GO !..
LE KAPITAINE TRAVERSE LE TOURBILLON SPATIO-TEMPOREL AVEC DEXTÉRITÉ !
SHLURRRP

LE KAPITAINE DOIT ÊTRE EN TRAIN D'ÉPLUCHER CE MINABLE SERPENT !..
DIM
PAM
BRAVO KAPITAINE !

ADIEU, KAPITAINE !.. LA PATRIE TE SERA ÉTERNELLEMENT RECONNAISSANTE !
...ADIEU ?!

NON TOM, IL N'EST PAS QUESTION QUE JE TIRE LA CHASSE QUAND TU ES DANS LES W.C.
MÊME POUR SAUVER LE MONDE !!!

11

DUTTO 02

...VOUS ÊTES SÛRS... UNE BONNE PIZZA, ÇA NE VOUS DIT RIEN ?!
SÛR, ON N'A PAS FAIM !..
...POUR UNE FOIS, PROFITEZ D'ÊTRE EN AMOUREUX...
BONNE SOIRÉE !

J'AI CRU QU'ILS NE PARTIRAIENT JAMAIS LES VIEUX !..
...CE SOIR, C'EST MENU ZOMBIE... AVEC PLEIN DE CERVELLE DESSUS !
ARRÊTE, TU ME DONNES FAIM !

CHA Y EST, CH'EST PARTI !..
BONCHOUR L'HORREUR !

TU PEUX ARRÊTER CE BRUIT IMMONDE, MICROBE !..
J'NE FAIS PAS DE BRUIT !..
LE ZOMBIE QUI AIMAIT LA CERVELLE II

...ET CE BRUIT DE CERVELLE QU'ON MÂCHE, C'EST MOI QUI LE FAIS, PEUT-ÊTRE ?
...JE TE DIS QUE C'EST PAS MOI !..
SI TU VEUX ME FAIRE PEUR, TU PEUX TOUJOURS COURIR !..
...T'ES MYTHO...

SHHLURGLW

J'TE JURE QU'C'EST PAS MOI, J'AI RIEN FAIT... J'Y SUIS POUR RIEN !
...ON DIRAIT QUE ÇA VIENT D'EN HAUT !
KESKONFÉ ?

T'ES SÛRE QU'IL FAUT ALLER VOIR ?..
...ET T'ES SÛRE QUE J'DOIS PASSER DEVANT ?
...OUI, T'AS LE DÉSINTÉGRATEUR MOLÉCULAIRE DE MONSTRES !!!
SI C'EST QU'ÇA, JE PEUX TE LE PASSER !..

...DANS LES FILMS, LES MONSTRES ATTAQUENT TOUJOURS PAR DERRIÈRE. C'EST POUR TE SAUVER LA VIE QUE JE RESTE LÀ... ALORS, HEIN...
C'EST PEUT-ÊTRE JUSTE UN OBJET QUI EST TOMBÉ !..
...AVANCE... DOUCEMENT...

...OU ALORS UN GROS MONSTRE GLUANT ET POILU AVEC DES PUSTULES, SORTI DES TOILETTES... OU LE ZOMBIE QUI EST VENU MANGER NOS CERVELLES...
...OU ALORS...
...HEU... JE CROIS QUE JE VAIS ALLER SURVEILLER EN BAS... ON SAIT JAMAIS...

...TU... TU CROIS QUE CANNIBALE JO SAIT QU'ON EST SEULS À LA MAISON ?!

...VOUS AVEZ EU FAIM AU BON MOMENT... JUSTE QUAND ON SORTAIT LA VOITURE DU GARAGE !
FROMAGE, JAMBON, CERVELLE. VOUS VOULEZ GOÛTER LA NOUVELLE PIZZA : "LA ZOMBIE" ?
...NON, UNE SOUPE D'ÉPINARDS !..
PIZZA
10
DUTO 02

VOOOOF

Chambre

VOF

NINA L'ALIEN, TU VAS REGRETTER DE M'AVOIR PROVOQUÉ !..

ADIEU PRINCESSE SALLY EH ! EH ! EH !
...PASSE LE BONJOUR AU SERPENT GÉANT !

TE VOILÀ VENGÉ, KAPITAINE !..
...TU PEUX REPOSER EN PAIX !

HEY MICROBE, T'AURAIS PAS VU PRINCESSE SALLY ? ELLE A DISPARU !
NON L'ALIEN, DÉSOLÉ !

ZUT, ELLE ATTENDAIT 7 PETITS GARÇONS DE KAPITAINE KOURAGE, PLUS FORTS ET PLUS COURAGEUX QUE LEUR PÈRE !..
...Y'EN AVAIT 5 RIEN QUE POUR TOI !
TANT PIS !

...N'INSISTE PAS !

13

Dutto 02

CHUT, MICROBE, TU VAS RÉVEILLER LES VIEUX!
GNÉÉÉ!

...IL FAUT EN AVOIR LE COEUR NET!

ON FERAIT PEUT-ÊTRE MIEUX D'APPELER LA POLICE!..
SANS PREUVE, ILS NE SE DÉPLACERONT JAMAIS.
PROPRIÉTÉ PRIVÉE
CLAC CLAC

JE ME SENS PAS SUPER BIEN!
CHUT!

IMAGINE SI CANNIBALE JO NE DORT PAS... IL VA NOUS ATTRAPER ET NOUS DÉVORER...
...COMME LES AUTRES!

JUSTEMENT, SI, COMME ON LE DIT, IL A DÉVORÉ LES AUTRES, IL DOIT FORCÉMENT SE DÉBARRASSER DE LEURS OS!.. ET QUELLE MEILLEURE CACHETTE QUE DANS SON JARDIN?
LA PREUVE DE SA CULPABILITÉ EST SOUS NOS PIEDS, MICROBE!..
ALORS, CREUSE!

AH! AH! AH! CHAQUE TUEUR EN SÉRIE A SON POINT FAIBLE... LES OS DES UNS AURONT SAUVÉ LA PEAU DES AUTRES!..
...SAUF SI..
...ENSUITE, JE LE DÉNONCE À LA POLICE ET JE DEVIENS LA STAR DE LA VILLE...
SAUF SI..
...SAUF SI QUOI?

...SAUF SI ÇA!!!
MORPHAL

J'Y AVAIS PAS PENSÉ... EN PLUS D'ÊTRE UNE BRUTE, CANNIBALE JO EST INTELLIGENT... JE SORS PLUS JAMAIS D'ICI!
T'AS FERMÉ LA PORTE?
NON, JE L'AI CLOUÉE!

14

DUTTO 02

LE MERCREDI APRÈS-MIDI, C'EST L'ENFER !..

... JE CROIS LES AVOIR IMPRESSIONNÉES !..

...VIVEMENT MERCREDI PROCHAIN

DUTTO 02

ENNEMIE REPÉRÉE!
Q.G. Général

PROTÉGEONS NOTRE TERRITOIRE...
À L'ATTAQUE!

PAN! PAN!
...T'ES MORTE!
?

NON, MICROBE... JE SUIS PAS MORTE!..
REGARDE, TU M'AS LOUPÉE!
ARF ARF

PAN! PAN!
CETTE FOIS, JE T'AI EUE!
EH NON, ENCORE RATÉ!
TU ME DÉÇOIS, MICROBE... TU VISES TRÈS MAL!..

AH!AH!AH! T'ES MORT!

AH NON, NON, NON, ÇA MARCHE PAS... JE NE SUIS PAS BÊTE!..
REGARDE, J'AI PAS UNE TRACE!
DÉSOLÉ MAIS TU M'AS LOUPÉ!
NON, MICROBE...

... J'T'AI EU!
TBOK

D'ACCORD KAPITAINE, J'AI BAISSÉ LA GARDE!..
...MAIS JE NE SAVAIS PAS QU'AU TEMPS DES PIRATES, LES ALIENS ÉTAIENT DÉJÀ SUR TERRE!
Q.G.
RONFL
KAPITAINE
KAPITAINE COURAGE
16
DUTTO 02

TOM, OUVRE CETTE PORTE, TOUT DE SUITE!
C'EST L'HEURE D'ALLER À L'ÉCOLE!..
TA SOEUR EST PRÊTE, ELLE T'ATTEND!
ALIEN
DANGER
ATTENTION CHAMBRE PROTÉGÉE

...TU M'ÉTONNES, QU'ELLE SOIT DÉJÀ PRÊTE... C'EST LES ALIENS QUI DIRIGENT L'ÉCOLE!
?
ALIEN
DANGER
ATTENTION CHAMBRE PROTÉGÉE

ILS VEULENT NOUS ENFONCER DES TAS DE TRUCS DANS LE CRÂNE POUR MIEUX NOUS COMMANDER!
...MAIS AVEC MOI, ÇA NE PRENDRA PAS...
ALIEN
DANGER
ATTENTION CHAMBRE PROTÉGÉE

...JE REFUSE DE DEVENIR LEUR ESCLAVE...
... JE LUTTERAI CONTRE L'ENVAHISSEUR!
RRMRRR...
DANGER
ATTENTION CHAMBRE PROTÉGÉE

TRÈS BIEN, TOM! SI TU VEUX, TU PEUX RESTER LÀ!..
...MAIS DANS CE CAS, JE ME SENTIRAI OBLIGÉE DE BRÛLER TOUS TES LIVRES DE KAPITAINE KOURAGE!..
DANGER
ATTENTION CHAMBRE PROTÉGÉE

PFFFFF COLLABO!..
DANGER
ATTENTION CHAMBRE PROTÉGÉE

T'ES CONTENTE, T'AS EU MAMAN, AUSSI... MAIS TOI ET TON ÉCOLE, VOUS NE M'AUREZ PAS!..
JE RÉSISTERAI, ET JE PROUVERAI VOTRE EXISTENCE!

ON T'AURA, MICROBE...
... TOI COMME LES AUTRES!

JE NE RETOURNERAI PAS À L'ÉCOLE TANT QUE TU N'AURAS PAS PRÉVENU LA POLICE!..
...ET LE F.B.I
DANGER
ATTENTION CHAMBRE PROTÉGÉE

TOOOOOM... LE GOÛTER EST SERVI!..

ÇA TOMBE BIEN, KAPITAINE KOURAGE A BESOIN DE REPRENDRE DES FORCES!..

WAHOW, LES MONSTERS CRUNCH, MES PRÉFÉRÉS!
VIENS ICI, MARTIEN, JE VAIS TE DÉVORER!..
WAHOW, GNÉ MONSGNERS GNUNCH, GNÉGNÉGNÉ... PFFF... CHOUCHOU!..
LAIT
MONSTERS CRUNCH
MANGE-LES AVANT QU'ILS NE TE MANGENT!

À TON TOUR...
...PUIS TOI!
C'EST UN VÉRITABLE CARNAGE!
'Y EN A MARRE, DE CES BISCUITS!..
LAIT
MONSTERS CRUNCH
MANGE-LES AVANT QU'ILS NE TE MANGENT

DIS-MOI, MICROBE, TU NE TROUVES PAS QU'ILS ONT UN GOÛT "ÉTRANGE", TES GÂTEAUX?!.
NON, CRUNCH POURQUOI? CRUNCH CRUNCH...
MONSTERS

PARCE QUE JE LEUR AI RAJOUTÉ UNE POTION QUI VA TE TRANSFORMER EN MUTANT INTER-GALACTIQUE!..
GLUP'S
MONSTERS

...TU VAS DÉTRUIRE LA PLANÈTE À LA PLACE DES ALIENS...
RHÔÔÔÔ
MERCI, MICROBE!
MONSTERS CRUNCH

J'AI LA SOLUTION!..
OOOOOOVv

BLEUARG
W.C.
BEN ÇA, ALORS... J'ÉTAIS PERSUADÉE QUE C'ÉTAIENT SES BISCUITS PRÉFÉRÉS!
NON, JE TE L'AVAIS DIT...
SES PRÉFÉRÉS SONT LES PAILLEFRAISE!
...COMME MOI!..
18
DUTTO 02

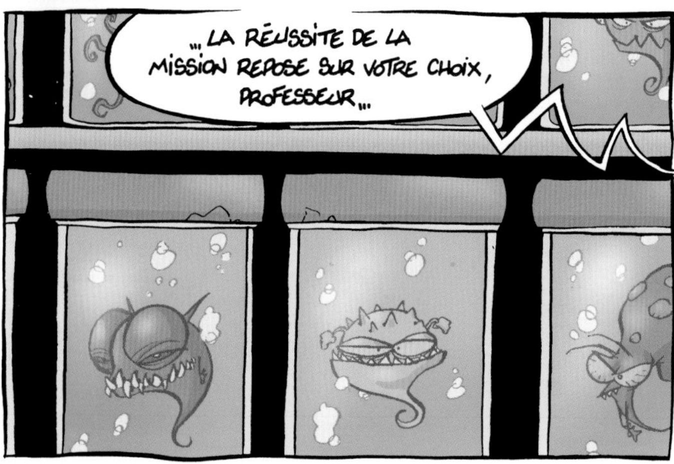
... LA RÉUSSITE DE LA MISSION REPOSE SUR VOTRE CHOIX, PROFESSEUR...

PSSSHHHHHH
NE VOUS INQUIÉTEZ PAS, CHEF, J'AI MIS DE CÔTÉ MON CHEF-D'OEUVRE ULTIME !..
DANGER
100 000 VOLT

J'AI L'HONNEUR DE VOUS PRÉSENTER: NINA-V12X.
CRUELLE, IMPITOYABLE... UNE VÉRITABLE MACHINE !

SUBLIME PROFESSEUR PHAGOCYTE... SUBLIME !..
MERCI, VOTRE CRUAUTÉ !
CLIC
CLAC

INJECTION !
PRUUUIIII;;;
MAIS VOUS ÊTES FOUUU !

ÇA Y EST, CHEF... INJECTION RÉUSSIE. ON PEUT LA RENVOYER SUR TERRE !
GRÂCE À UN GUERRIER COMME NINA, LA TERRE SERA BIENTÔT À NOUS, AH ! AH ! AH !
TERRE
NOOOOOON

NON, TOM. JE N'AI PAS ÉTÉ ENLEVÉE PAR LES EXTRATERRESTRES !
...ILS ONT DÛ TE FAIRE UN LAVAGE DE CERVEAU...
...OU ALORS, NINA EST VENUE DIRECTEMENT EN VAISSEAU... PAS IMPOSSIBLE...
... FAUT QUE J'ÉTUDIE ÇA !
9 MOIS PLUS TARD

5

DUTTO 02

PITAINE
URAGE
L'AMOUR T'EMPORTE
L'AMOUR ÇA PORTE...

...IF YOU LOVE, MOOOOOOOVE
IF YOU LOVE, MOOOOOOVE
MOOOOOOVE
MOOOOOOVE
QUELLE EST CETTE AGRES-SION SONORE ?!

IF YOU LOVE MOOOVE
IF YOU...
MOOOVE
J'ARRIVE JUSTE À TEMPS !

...LO
KRACS

MAMAAAN !..
UNE FOIS DE PLUS, LA TERRE EST SAUVÉE !..
KKRRR
KRR

QU'EST-CE QUI SE PASSE, ICI ?
C'EST TOM, IL A ÉCLATÉ MON POSTE !
EXACTEMENT, JE NOUS AI DÉBARRASSÉS DE LOVER MOOVE
KRKZZZ

ÇA VA PAS, TOM ? T'ES DEVENU FOU ?!
NON, AU CONTRAIRE, JE SUIS LE SEUL À VOIR CLAIR, ICI ...
...C'ÉTAIT DE LA PROPA-GANDE ALIEN !

SORS D'ICI !..
JE PARS SEREIN, C'EST L'HEURE DE KAPITAINE KOURAGE À LA TÉLÉ... LUI, IL ME COMPREND !

HEUREUSEMENT QU'ON EST LÀ, KAPITAINE ! LA TERRE PEUT COMPTER SUR NOUS...
ZWITCH
ZAP
POUF

...L'ÉPISODE DE KAPITAINE KOURAGE EST REMPLACÉ PAR L'INTERVIEW EXCLUSIVE DE LOVER MOOVE SUR SON DERNIER ALB...

T'INQUIÈTE PAS, KAPITAINE, JE T'AI VENGÉ... JE LUI AI RÉGLÉ SON COMPTE !
TOM, VIENS ICI !..
L'INVASION LOVER MOOVE NE PASSERA PAS PAR ICI !..
KAPITAINE KOURAGE
MAGIE
KRKZZ
19

JE N'AIME PAS TROP TE VOIR AVEC CE SOURIRE !
...QU'EST-CE QUE TU AS FAIT ?!
MOI ?!
...RIEN !

TU MENS ?!
OUI !..
...TU ES PERSPICACE, MICROBE !
...QU'EST-CE QUE TU PRÉPARES ?
VOOOOOOO

J'AI **REPROGRAMMÉ** MAMAN POUR QU'ELLE TE **DÉTESTE** !..
...MAINTENANT, ELLE SERA TON **PIRE** ENNEMI. ELLE T'ENGUEULERA TOUJOURS ET QUOI QUE TU FASSES, ELLE SERA TOUT LE TEMPS DERRIÈRE TOI !..
TU MENS ?!
NON !

C'EST PAS POSSIBLE... MAMAN, C'EST PAS UN ORDINATEUR... 'PUIS, ELLE M'AIME !..
C'EST CE QU'ON VA VOIR, MICROBE !

OH TOM, T'AS BIENTÔT FINI DE CRIER ?.. JE BOSSE, MOI !..
...MAIS... MAIS C'EST PAS MOI...
...JE LISAIS TRANQUILLEMENT...
...C'EST **NINA**, ELLE DIT QUE...
RÔÔÔ, LE MENTEUR !

TOM, C'EST PAS BEAU, D'ACCUSER LES AUTRES À SA PLACE !
MONTE FAIRE TES DEVOIRS. ENSUITE, UN BAIN, UNE SOUPE ET AU LIT !

T'EN FAIS PAS, M'AN, JE VAIS TE RAFRAÎCHIR LES CIRCUITS !..
PLÖTCH
BLITZ

ALORS, ÇA Y EST, JE T'AI REMIS LES FUSIBLES EN PLACE ?..
...SINON, IL ME RESTE DES MUNITIONS !

ALLÔ, "LES PROS DE L'INFORMATIQUE", COMMENT ON REPROGRAMME UNE MAMAN ?!
C'EST URGEN

ZIIIP

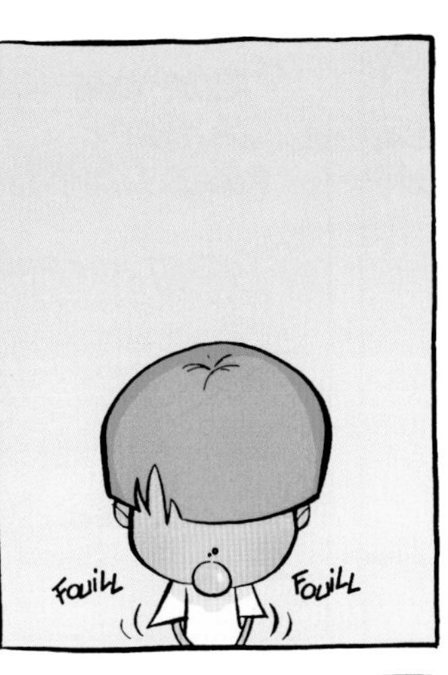
FOUILL
FOUILL

...GNNN...

...GGNNNNNIII

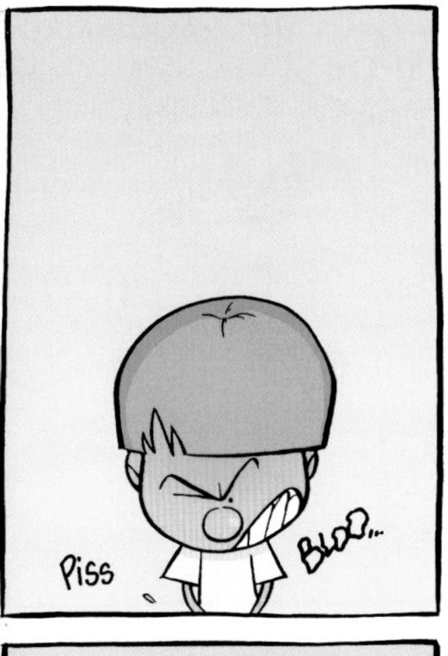
PISS
BLOO...

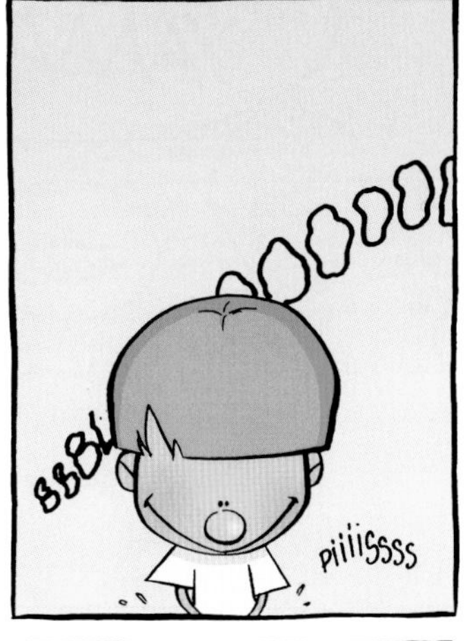
BBBLOOOOOO
PIIIISSSS

BLLOOOOOOOOO
PIIIIIISSSS

BLOOOOOOOOO
PIIIISSSS

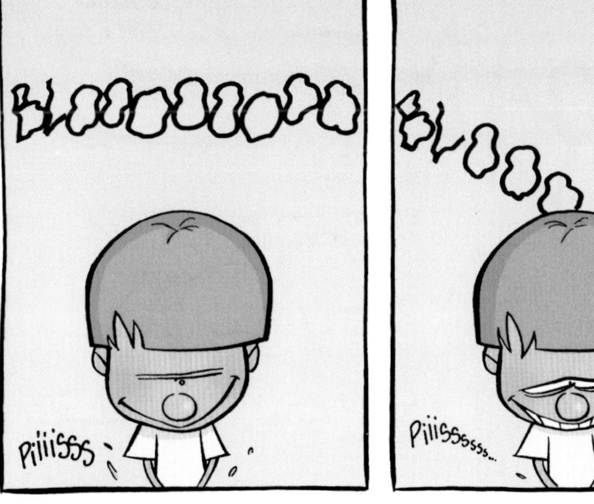
BLOOOOOOOOO
PIIIISSS

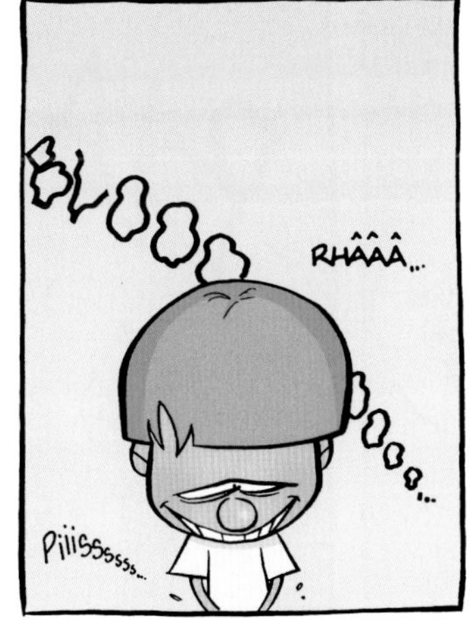
BLOOOO
RHÂÂÂ...
PIIISSSSSS...

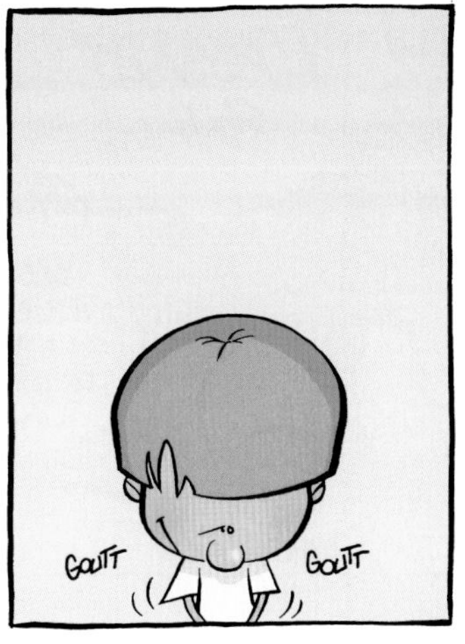
GOUTT
GOUTT

...ET VOILÀ !..
ZIIIP

HEY, MICROBE, QU'EST-CE QUE TU FAIS, PRÈS DE MON BAIN ?
RIEN, GRANDE SOEUR ADORÉE... JE REGARDAIS JUSTE SI L'EAU ÉTAIT ASSEZ CHAUDE !..
21
DUTTO 02

C'EST CE JOUR-LÀ QUE J'AI TROUVÉ **L'ARME ABSOLUE !**

DÉSOLÉ, MAIS TU AS FINI DE SEMER LA TERREUR !

JE CONNAIS TA FAIBLESSE !

FEU !
PSSSHH

BRAAA

...EH OUI, CHAQUE ALIEN A SON POINT FAIBLE, TU VIENS DE VÉNUS ET LES VENUSIENS CRAIGNENT L'EAU, ELLE LES FAIT FONDRE, AH AH AH !
DOMMAGE POUR TOI MAIS LE KAPITAINE KOURAGE FAIT TOUJOURS RÉGNER LA PAIX SUR TERRE !

TILT!

VVVOOOOOO

BRYANT
AÏE
planète de Nina?
Mars
Jupiter
Centor
Pluton
Vénus
Saturne
Mercure
ATLAS
28
Dutto

J'EN AI MARRE... IL EST COMPLÈTEMENT TARÉ VOTRE FILS!

TOOOM VIENS ICI TOUT DE SUITE!..
...JE VAIS T'ENLEVER ÇA!..
SNIF

TU VAS ARRÊTER TES JEUX STUPIDES!..
...MAIS P'PA C'EST POUR SAUVER LE MONDE!..

REGARDE CE QUE TU AS FAIT À TA SOEUR?
...ALORS MAINTENANT, TU MONTES DANS TA CHAMBRE FAIRE TES DEVOIRS!..
HOU PURÉE!
VOILÀ, ENCORE UNE DE MOINS!..

WAHOOOOU, INCROYABLE!..
...JE LUI AI REFILÉ LA ROUGEOLE!

EH! EH!.. TOI, T'ES PAS UN FUSIL À FLÉCHETTES COMME LES AUTRES!..
TU ES... UNE ARME BIOLOGIQUE!

...TU DOIS PAS TOMBER ENTRE N'IMPORTE QUELLES MAINS... JE VAIS TE CACHER!
LÀ... VOILÀ...
...ET MAINTENANT, LES DEVOIRS!

ORTHOGRAPHE
HISTOIRE
POÉSIE
FRANÇAIS
VOCABULAIRE
MATHÉMATIQUES
DICTIONNAIRE PETIT ROBERT
GÉOMÉTRIE
DICTÉE
CONJUGAISON
GÉOGRAPHIE
ÉDUCATION CIVIQUE
CONJUGAISON
POÉSIE
GRAMMAIRE
MATH
DICTÉE
HISTOIRE
CALCUL
TRAVAUX MANUELS

JE CROIS QUE JE POURRAI PAS ALLER À L'ÉCOLE DEMAIN!..
WORD 6
24
DUTTO 02

JE VAIS PRENDRE UN BAIN !..

PARFAITE !

ZIIIIIIIP

GNIIIIIIIIIII !..

..MFFF..

RHAAAA
ÇA FAIT DU BIEN DE RESPIRER, JE SUIS À L'ÉTROIT LÀ-DEDANS !

PLOF
ZIZOU
TILT !

VOOOOOOO

BLAF
HAUT LES PATTES, ENVAHISSEUR !
SHOOT

TROP TÔT !..
25

...ALORS TOM, TU LE VOIS?
OUI, ÇA Y EST, IL SORT DE CHEZ LUI AVEC UN GROS SAC!..

JEUDI 11, 19 H 34: CANNIBALE JO SORT LES RESTES DE SES VICTIMES!
IL S'APPROCHE DE SON CHIEN!..
ZUT, JE LE VOIS PLUS!
SCRITCH SCRITCH
RAPPORT CANNIBAL JO

AH, IL RÉAPPARAÎT... MAIS... MAIS... IL A PLUS SON SAC!..
19 H 36: IL A TOUT DONNÉ À MORPHAL!

IL SE RETOURNE DANS NOTRE DIRECTION...

!

ALERTE ROUGE, IL NOUS A REPÉRÉS!..

HOU PURÉE, IL VA VENIR NOUS CHERCHER...
...ET IL VA NOUS FAIRE RÔTIR!..
GLA GLA GLA

CHUT!
...J'... J'AI ENTENDU DU BRUIT...

LA SOUPE EST SERVIE!.. ÇA FAIT 1 HEURE QUE JE VOUS APPELLE!

JE SAVAIS QU'ILS N'AIMAIENT PAS LA SOUPE... MAIS À CE POINT-LÀ?..
C'EST PÉTRIFIANT!
CLACLACLACLAC
26
DUTTO 02

...LE DERNIER CONCERT DE LOVER MOOVE !...
EH OUI !...
Lover Moove Concert

JE L'AI VU QUE 72 FOIS DEPUIS HIER SOIR !
DONNE-MOI ÇA... ON L'ATTEND DEPUIS 3 MOIS !...
TAC
VIIIIE !
TCHAC
POF
CLIC

LOVER MOOVE, LOVER MOOVE...
Lover MOOVE concert à Cœur Perdu

LE VOILÀ !...
JE T'AIME !...
SALUT LES AMOURS !

POUR QUE LA PAIX RÈGNE SUR LA TERRE !...
ARME ABSOLUE ENCLENCHÉE !
?

PFFRLOAAAPLLL...

VOF

MÊME LES MEILLEURES ARMES PEUVENT SE RETOURNER CONTRE VOUS !...
LESSIVE
29
DUTTO 02

NINA! NINA!
J'AI BESOIN DE TOI!

BOUGE PLUS MICROBE...
... SORS TES FLINGUES!
... J'AI PAS D'ARME, JURÉ...
J'AI VRAIMENT BESOIN DE TOI!

...JE T'AI CHOISIE COMME SUJET D'EXPOSÉ... JE DOIS FAIRE DES PHOTOS!..
OH... BIEN SÛR!..
RMMRMH... TRÈS BON CHOIX, FRÉROT!..

COMME ÇA, ÇA TE VA?
JE PRÉFÉRERAIS DEBOUT!

TU AS RAISON L'ARTISTE, LÀ, JE SUIS MIEUX!..
OUI, MAIS METS-TOI FACE À MOI!..

VOILÀ, PAS MAL!..
MAINTENANT, LÈVE LES BRAS!

... ET PRENDS UN AIR TRÈS AGRESSIF!..

PARFAIT!
CLIC
FLASH
GRRR...

DIS-MOI, MICROBE, C'EST QUOI EXACTEMENT LE TITRE DE TON EXPOSÉ?
BEN, JE SAIS PAS ENCORE!..
J'HÉSITE!..
..."TERRE ATTENTION DANGER", OU "LES ALIENS DÉBARQUENT"
-GZZZ
TU PRÉFÈRES QUOI?!

..en plus d'être méchants, les aliens sont très, très susceptibles.

23

DUTTO 02

ICI TOM ET NINA, LES EXPLORATEURS DE L'ESPACE PRÊTS À DÉCOUVRIR DE NOUVELLES PLANÈTES!

NINA, DERNIER CONTRÔLE AVANT DÉMARRAGE!
OK!

RÉSERVOIR PLEIN!..
PORTES ET FENÊTRES FERMÉES...

CEINTURES BOUCLÉES!..
TOUT EST OK!
CLIC
CLAC

ATTENTION 3,2,1... LÂCHEZ LES FREINS ET...
...GO!
CRRR

AÏE, PETIT DÉFAUT DE PROGRAMMATION, LE VAISSEAU PART EN ARRIÈRE!
TCHAC

...MAIS RIEN DE GRAVE, NOUS ATTEIGNONS QUAND MÊME LA VITESSE HYPERSONIQUE!..

BOM
ÇA Y EST, ON TOUCHE UNE TERRE INCONNUE!..

COMME NOUS L'IMAGINIONS, LES ALIENS ONT LA PEAU VERTE!..
ILS ONT L'AIR AIMABLES ET ACCUEILLANTS
BONJOUR L'ALIEN, JE SUIS TOM...
PSSSH
KSSS

DRÔLE DE FAÇON DE SALUER!
LA FERME, MICROBE!
AÏE

27

DUTTO

..T'INQUIÈTE PAS M'AN, TU AS ÉTÉ VICTIME D'UN BOURRAGE DE CRÂNE... JE VAIS TOUT ARRANGER...

...ALORS, BOUTON ROUGE OU BOUTON VERT ?!

DANGER

LAVAGE DE CERVEAU

30

DUTTO 02

TU VAS ME LE PAYER !..
RÊVE, MICROBE !
TOM NINA SIIIIILENCE !..
POW
FREiNE

STOP !..
...T'AS ENTENDU MAMAN, FAUT PLUS FAIRE DE BRUIT !..

CHUT !..

DANS TA FACE MICROBE !
BLAF

TU VAS REGRETTER TON GESTE L'ALIEN !..
2 À 0 POUR NINA QUI S'ENVOLE VERS LA VICTOIRE !..

ARRÊTEZ ET ALLEZ FAIRE VOS DEVOIRS !

PRÉPARE-TOI À SOUFFRIR !
COURS TOUJOURS !
30

C'EST BIEN CALME ICI...
...TU AS VENDU LES ENFANTS ?
NON, ILS SONT DANS LEUR CHAMBRE À FAIRE LEURS DEVOIRS !..
C'EST ÇA, L'AUTORITÉ MATERNELLE !
31

DUTTO 02

SCRITCH
SCRITCH
SCRITCH
MATH

TOM, QUE FAIS-TU ?..

QUI... QUI ME PARLE ?!
VOYONS, TOM... C'EST MOI... LE KAPITAINE KOURAGE !
...ET JE VOIS QUE TU FAIS TES DEVOIRS, TU ES DONC PASSÉ DE L'AUTRE CÔTÉ... TU AS SUCCOMBÉ AUX ALIENS !..

MAIS... MAIS... KAPITAINE... C'EST MA MÈRE, ELLE M'OBLIGE À LES FAIRE !..
...TOUT LE MONDE DIT ÇA : " C'EST PAS MA FAUTE ! "
TU ME DÉÇOIS, TOM !..
...JE TE CROYAIS DIFFÉRENT !

NON KAPITAINE, JE SUIS AVEC TOI !..
ALORS, PROUVE-LE !..
VA LUTTER CONTRE TA DICTATRICE DE MÈRE !

TOUT DE SUITE, KAPITAINE !
POWER BLAST
VOF

TU SERAS FIER DE MOI !..
VOFF

JE DOIS LUTTER CONTRE L'ENVAHISSEUR
BLAST
ÇA VA PAS, TOM... TU ES DEVENU FOU !
BAFF
ET RETOURNE DANS TA CHAMBRE AVANT DE T'EN PRENDRE UNE AUTRE !..
UNE CLAQUE PAR JOUR, C'EST LE QUOTA MINIMUM !..
Calendrier
SCRITCH
37

Dutto

Quatre-vingt huit jours depuis le naufrage et toujours pas de terre en vue. L'épuisement gagne peu à peu l'équipage. Un nouvel ami nous tient compagnie depuis quelques jours déjà... un requin attendant patiemment que nous mourions de faim, ce à quoi nous semblons inexorablement destinés. J'ai promis à mon équipage de pêcher de quoi nous nourrir ...

Cependant, mes tentatives restent vaines ...

Hardis moussaillons, ce jour restera gravé dans nos mémoires. J'ai attrapé une grenadine et un poisson "lapin en chocolat"... le Capitaine Tom est sans égal.

33

DUTTO 02

LAP
LAP
LAP
FROT
FROT
FROT
LAV
LAV
LAV
SHRRRPLLL
SSSHRRRPLLLL
LAV
LAV
LAV
LAP
LAP
LAP
RRRRRRRRRR
RRRRRRR
RRRRRRRR...
.. ET COMMENT IL VA, MON GROS CHAT ?..
FROT FROT FROT FROT FROT FROT FROT FROT FROT FROT FROT
IL EST BEAU...
OH OUI, IL EST BEAU.. C'EST UN BON MATOU, ÇA !..
GRIPPY
GRIPPY
DUTTO 02
38

NUCLÉOBOMBE!
ZBLAP
TEU!

ALERTE ROUGE
L'EXPÉRIENCE NIWA-V12X
EST ATTAQUÉE!
XPERIENCE NINA-V12X
DANGER
ennemi identifié :
TOM

MISSION DESTRUCTION.
TOUT LE MONDE À SON
POSTE DE COMBAT!
SOUS-SOL B

GO! GO! GO!

PAS DE PITIÉ
LES GARS!

OBJECTIF
EN VUE!

DESTRUCTION ENNEMI
DANS 3... 2... 1...
DOMMAGE,
MICROBE!

MENTEUSE!
TU PEUX
TOUJOURS
ESSAYER!
34

PRÊT POUR LE PLAN P !..
OH QUE OUI !

ON A BESOIN DE QUELQUES INGRÉDIENTS !
CAFÉ !
STEAKS HACHÉS !
LAIT CONCENTRÉ !
ÉPINARDS !
CHOUCROUTE !
REBLOCHON !

SI JE ME RAPPELLE BIEN DE LA RECETTE, ON DOIT TOUT MÉLANGER, CHÈRE NINA.
OUI, ET LES ÉPINARDS DOIVENT BAIGNER DANS LE LAIT CONCENTRÉ..
...ET LE SIROP DE MENTHE !
SPRÖCH
PRUZ

NE SURTOUT PAS OUBLIER L'ASSAISONNEMENT !..
UNE PETITE CUILLÈRE DE MOUTARDE !
UNE PINCÉE DE SEL !

'Y A PLUS QU'À FAIRE CUIRE UN QUART D'HEURE !
ATTENDS, ON A OUBLIÉ L'AIL !..

... LÀ, ÇA ME SEMBLE PARFAIT !
À POINT !
SKRIIIIIIIII

MAMAN, PAPA, ON A PRÉPARÉ LE REPAS DE CE SOIR !
COMME C'EST GENTIL !..
..MAIS..HEU..MAMAN ET MOI, ON PENSAIT COMMANDER UNE PIZZA...
OUI.. UNE TRÈS GROSSE PIZZA !..

BIEN JOUÉ MICROBE, LE PLAN PIZZA MARCHE À TOUS LES COUPS !
..OUAIS, ET LA PROCHAINE FOIS, ON LEUR FAIT UN CASSOULET D'HARIBO À LA FRAISE !
32

JE SUIS AU TÉLÉPHONE...
... ALORS, QUE PERSONNE NE ME DÉRANGE!

SURTOUT TOI, MICROBE!..
... T'AS COMPRIS?!

SINON, T'ES MORT!
VLAM

NINA
... J'ADORE LES DÉFIS!..
HOP
HOP

OH, QUEL HASARD, UN SECOND TÉLÉPHONE!
MA CURIOSITÉ M'OBLIGE À LE DÉCROCHER!

COMMANDANT KIRK ici NINA-V12X, MISSION: ENVAHIR LA PLANÈTE TERRE, AU RAPPORT!..
HOULA, J'AI FLAIRÉ LE BON COUP!..

... TOUT SE PASSE BIEN POUR L'INSTANT, LES HUMAINS N'ONT RIEN REMARQUÉ!
SEUL ACCROC, UN JEUNE TERRIEN, TOM, QUI A DES DOUTES, MAIS PAS D'INQUIÉTUDE, CE SOIR LE PROBLÈME SERA RÉSOLU
EH! EH! EH!..

NOUS VAINCRONS!.. AU REVOIR, COMMANDANT
CLIC
BIP BIP BIP BIP

TOM REFUSE DE MANGER AVEC NOUS... IL S'EST BARRICADÉ DANS SA CHAMBRE!
... TANT PIS POUR LUI... PAS DE CRÊPES!..
ET TANT MIEUX POUR TOI NINA... TU EN AURAS 2 FOIS PLUS!..
WAHOOW, LA CHANCE...
MERCI, TOM!
35
DUTTO 02

chambre toujours rangée
reste des heures au téléphone
fait pipi assis
réunions secrètes
se lave tous les jours
pas de zizi
aime faire ses devoirs
armes et instruments de tortures
Carnet de bord (ton secret)
C'EST PAS DES PREUVES QU'ELLE VIENT D'AILLEURS, ÇA ?!
EFFECTIVEMENT...
44
DUTTO 02

QUAND JE SERAI GRAND, JE SERAI SUPER-HÉROS!

J'AURAI PLEIN DE SUPER POUVOIRS...
... ET JE SAUVERAI LES HUMAINS DE TOUS LES DANGERS!

C'EST BEAU DE VOULOIR AIDER LES AUTRES, MAIS ÇA NE SERVIRA À RIEN!
QU...?!

POURQUOI TU DIS ÇA?..
AÏE
...LE SOLEIL GROSSIT ET EXPLOSE LES PLANÈTES QUI L'ENTOURENT. LA TERRE ÉTANT LA 3° LA PLUS PROCHE, HÉ BEN, DANS QUELQUES ANNÉES... POF, PLUS DE TERRE... PLUS RIEN!..
...TOUT CE QUI A EXISTÉ DISPARAÎTRA, DONC, TOUT CE QU'ON FAIT NE SERT À RIEN!

SUR CE, BONNE NUIT ET À DEMAIN!..
... SI LA TERRE EST TOUJOURS LÀ!

TERRE
SOLEIL
EXPLOSION
RIEN
RIEN
RIEN
RIEN
RIEN
RIEN
RIEN
RIEN

VOOOOO

TOM, C'EST QUOI CE BRUIT À 2 HEURES DU MATIN ?!
JE CONSTRUIS UN VAISSEAU!..
KLING
KLANG
JE DOIS TROUVER UNE PLANÈTE POUR SAUVER LES HOMMES!
KLONG
ALORS CHUT, JE BOSSE!

INCONSCIENTE!

36

DUTTO 02

...IF YOU LOVE MOOOOVE! ...
?
Disparais
ABRUTI !..

GACHETTE HYPER SENSIBLE
LE DÉMOCULISATEUR
J'COMPRENDS PAS, J'AI POURTANT FAIT TOUT CE QUI EST ÉCRIT...
...ÇA DOIT PAS MARCHER SUR LES ALIENS !
FAIRE DISPARAÎTRE QUELQU'UN
MAGIE 2000
LES SORTS DE ANIMAUX
CHANGEMENT D'APPARENCE
LA DÉFORMATION
1000 TOURS DE MAGIE
SORCELLERIE POUPÉE VAUDOU

39

DORS TRANQUILLE, MÉGAYORK, LE KAPITAINE KOURAGE VEILLE SUR TOI !..

T'ES PAS DU TOUT CRÉDIBLE MICROBE !
AH OUAIS, PROUVE-LE !..

BEN, LE KAPITAINE SAIT VOLER ET PAS TOI !..
AH OUAIS !
...MAIS MOI, JE PEUX TE FAIRE VOLER !..
...SUIS-MOI !

TE VOILÀ EN POSITION DE DÉCOLLER !..
TU ES PRÊT ?
...EUH...
...OUI...
SPLIT SPLIT
ALORS, TENDS LES BRAS !..

GO !
VROOOOoo

WAHOOOU ÇA MARCHE !..
...JE VOLE !

LE KAPITAINE KOURAGE EST DE RETOUR !

TREMBLEZ, MALFRATS ...

...J'ARRIIIIIIIIIIII
VWOOOOOOOF

BBROLOMM
CRASH
CASS
BRICH
BERKK
CLINC

RHAAA ...LE SERVICE DE GRAND-MÈRE... JE T'AVAIS PRÉVENU TOM !..
MAIS... C'EST PAS MOI
BAF BAF BAF
ÇA T'APPRENDRA À MENTIR !..
TROIS D'UN COUP... NOUVEAU RECORD !..
Calendrier

CACOFONIX CONTINUE DE TRAUMATISER LA POPULATION AVEC SON CRI QUI TUE
DÉJÀ, LES TROIS QUARTS DE MÉGAYORK SONT ATTEINTS... LE MONDE EST EN DANGER

MAIS... MAIS OUI, C'EST BIEN LUI, LE KAPITAINE KOURAGE !
MALGRÉ SON PREMIER ÉCHEC, IL REVIENT LUTTER CONTRE L'OPPRESSEUR !

MORBLEU, JE CROYAIS T'AVOIR ÉLIMINÉ... TU ES CORIACE !!
CETTE FOIS, JE TE LOUPERAI PAS !!!
FREINEEE
VOF

ATTENTION KAPITAINE, CACOFONIX ATTAQUE !

MAIS NOTRE SAUVEUR AVAIT TOUT PRÉVU !...
... DU COTON DANS MES SUPER-OREILLES

ET MAINTENANT DIRECTION LA PRISON GALACTIQUE !...

GALACTIQUE

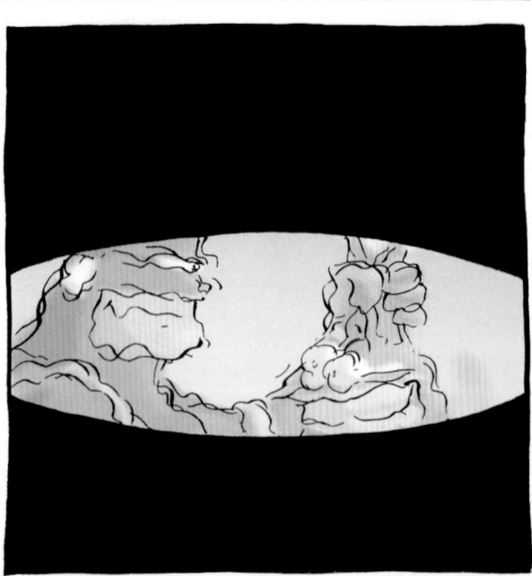

Z

MAMAN! MAMAN!
AH, TOM, DÉJÀ RENTRÉ?!
...ÇA S'EST PASSÉ COMMENT, AUJOURD'HUI, À L'ÉCOLE?
ENGRAIS

TRÈS BIEN, C'ÉTAIT UNE DE MES MEILLEURES JOURNÉES!..
JE SUIS CONTENTE!..
...RACONTE!
TAP
TAP

ÇA A COMMENCÉ CE MATIN À 8H30. QUAND MA CLASSE EST RENTRÉE, MOI JE ME SUIS ENFERMÉ DANS LES TOILETTES!
...LÀ, C'EST LA DIRECTRICE QUI S'EN EST APERÇU. LE TEMPS QUE LE SERRURIER ARRIVE, JE SUIS RENTRÉ EN COURS 1 HEURE PLUS TARD.

À PEINE ASSIS, LA MAÎTRESSE A VOULU QUE JE RÉCITE MA POÉSIE... LÀ, J'AI DÉGAINÉ MON DÉMOCULISATEUR!.. J'L'AI PAS RATÉE!..
...ELLE M'A PUNI DE RÉCRÉ ET ENFERMÉ DANS LA CLASSE!..
... J'EN AI PROFITÉ POUR FOUILLER SES AFFAIRES... MANQUE DE POT, ELLE M'A SURPRIS EN FLAGRANT DÉLIT.
ENSUITE, - BASTON DE PURÉE À LA CANTINE, 50 LIGNES DE PUNITION...
- LE CONTRÔLE DE MATHS DÉCHIRÉ, 75 LIGNES... - TENTATIVE DE FUITE, 100 LIGNES!

...ET POUR FINIR, J'AI TRAITÉ LA MAÎTRESSE D'ESCLAVAGISTE QUAND ELLE A DONNÉ LES DEVOIRS À FAIRE: 50 LIGNES DE PLUS.
CE QUI ME FAIT 275 LIGNES!
RECORD BATTU!
ET TU PEUX ME DIRE CE QUE TU TROUVES DE "BIEN" LÀ-DEDANS?

C'EST POURTANT ÉVIDENT... L'ÉCOLE N'AIME PAS QU'ON LUI DÉSOBÉISSE!..
...CE QUI EST UNE PREUVE IRRÉFUTABLE QU'ILS ESSAYENT DE DOMINER NOS ESPRITS POUR QU'ON DEVIENNE COMME EUX!
MAIS MOI, JE REFUSE CETTE DICTATURE!

ET MAINTENANT, AU LIEU DE FAIRE LES PUNITIONS, JE VAIS LEUR ÉCRIRE UNE DÉCLARATION DE GUERRE!..

T'ES SÛRE QUE C'EST MON FRÈRE?!
HÔÔÔÔ, JE NE SUIS PLUS SÛRE DE RIEN!
ENGRA
41
DUTTO 02

BONNE NUIT TOUT LE MONDE !..
Toilettes
BÂILLE
MAUVAISE NUIT, TOI TOUT SEUL !..

NINA !
WAHOOOO... COMMENT T'AS DEVINÉ ?!
T'ES AUX TOILETTES ?
POURQUOI, ÇA TE DÉRANGE, MICROBE ?..

AH ! AH ! AH !.. JE SAVAIS QUE TU ÉTAIS STUPIDE, MAIS À CE POINT-LÀ !..
Toilettes
POURQUOI ?

LE TERRIBLE SERPENT DES ÉGOUTS VA SORTIR DE SON NID, REMONTER LES TUYAUX ET...
KROC
...IL VA TE GOBER ET T'ENGLOUTIR À JAMAIS DANS SON ESTOMAC !..

...JE SAIS... MAIS JE PRÉFÈRE ÇA AUX MONSTRES !..
LES MONSTRES ?

...OUI, CEUX CACHÉS SOUS LE LIT !..
...ILS ATTENDENT QU'UN JEUNE GARÇON VIENNE SE COUCHER ET S'ENDORMIR. À CE MOMENT-LÀ, UNE TENTACULE JAILLIT DE DESSOUS LE LIT, SE SAISIT DU GARÇON ET L'ENTRAÎNE AVEC ELLE DANS LES PROFONDEURS INEXPLORÉES !..

JUSQU'À CE JOUR, PERSONNE N'EST REMONTÉ !..
BONNE NUIT, MICROBE !..

Toilettes

TOM, VA TE COUCHER DANS TON LIT IMMÉDIATEMENT !..
Toilettes
PAS QUESTION !..
...MAINTENANT, JE DORMIRAI TOUTES LES NUITS ICI !..

DUTTO 02

GRIPPY
AUJOURD'HUI, LA STAR, C'EST LUI !

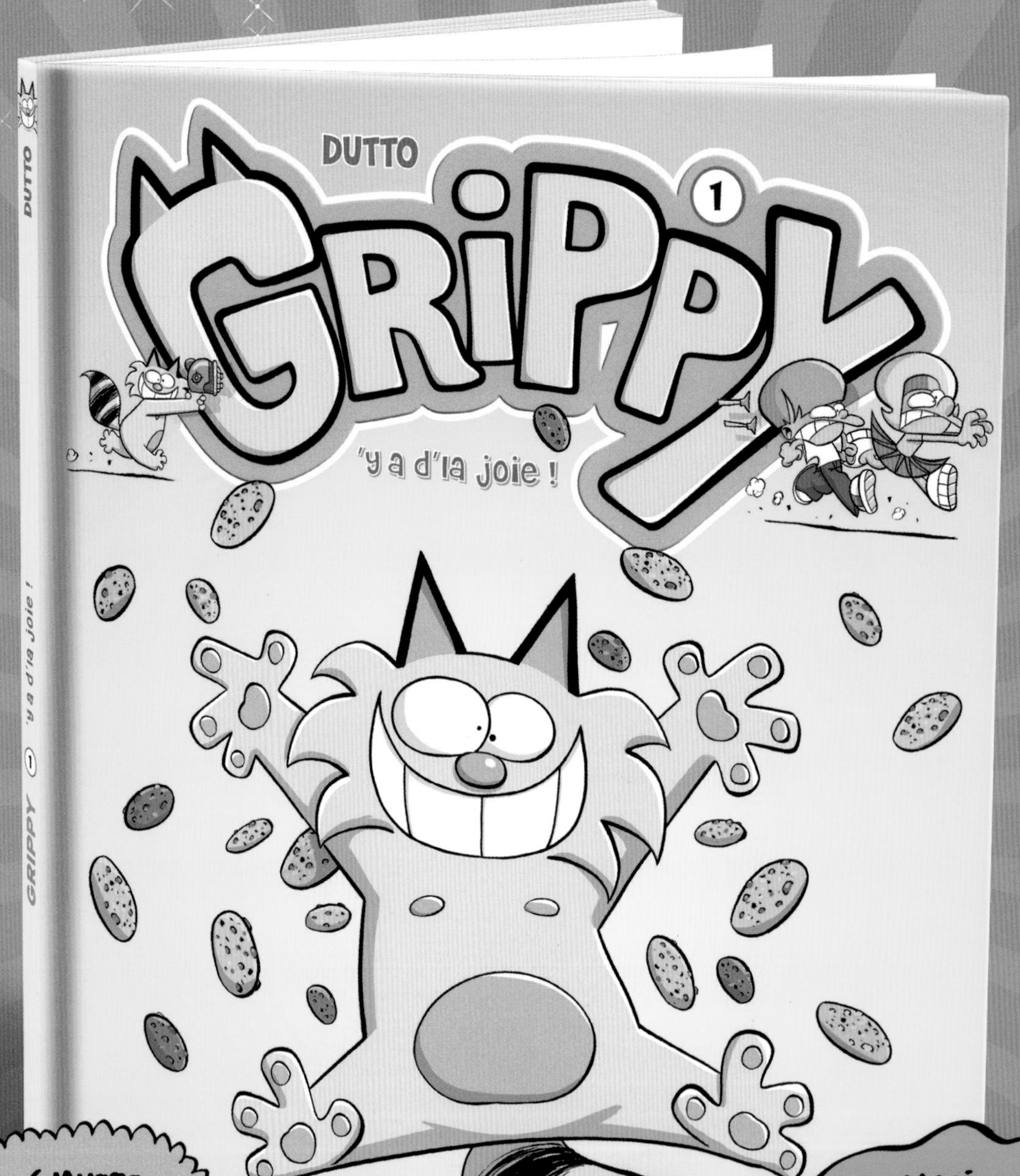